À mes merveilleux garçons, Diego et Pablo, et à ma magnifique femme, Carla
—J.A.

Aux trois femmes de ma vie : Amelia, Avery et mon amour, Darlene
—R.R.

Nous souhaiterions remercier notre éditeur, Mark Siegel, pour son précieux soutien et son enthousiasme pour Claudette. Nous voulons également remercier la talentueuse équipe de First Second : Calista Brill, Colleen AF Venable et Gina Gagliano. Et pour finir, voici quelques personnes qui nous ont fait un retour primordial au cours de l'aventure : Carla Gutierrez, Vijaya Iyer, Elizabeth Neal, John Novak, Juan Carlos Perez, Raul Rosado, et Darlene Rosado. Merci ! —Jorge & Rafael

Première publication en anglais par First Second

First Second est un label de Roaring Brook Press, une division de Holtzbrinck Publishing Holdings Limited Partnership

175 Fifth Avenue, New York, New York 10010

Tous droits réservés

Edition en langue française par Akileos,

162 Cours du Maréchal Gallieni, 33400 Talence

Traduction : Achille(s)

Corrections : Dominique Gervais

Tous droits réservés

ISBN: 978-2-35574-163-0

Imprimé en Turquie par Bilnet en Mars 2014

Dépôt légal : Avril 2014

10 9 8 7 6 5 4 3 2 1

SCÉNARIO
Jorge Aguirre

DESSIN
Rafael Rosado

HISTOIRE
Rafael Rosado & Jorge Aguirre

COULEURS
John Novak

COULEURS ADDITIONNELLES
Matthew Schenk

« Pierre XXXII et ses hommes chassèrent vaillamment le géant... »

« jusqu'à la plus haute montagne du domaine. »

« Et il ne troubla plus jamais la quiétude de notre village. »

ET APRÈS ?

ILS ONT RACONTÉ UNE HISTOIRE DÉBILE AU GÉANT ET IL EST MORT D'ENNUI !

...

C'EST ÇA ?!

RHA, ALLEZ, PASSEZ À LA PARTIE SANGLANTE !

J'AURAIS TUÉ CE MONSTRE MANGEUR DE PIEDS DE BÉBÉS BON À RIEN !

C'EST TOUT CE QUE JE DIS.

TU DIS CELA MAINTENANT, MON ENFANT...

MAIS TU NE SAIS JAMAIS DE QUOI TU ES VRAIMENT FAIT TANT QUE TU NE REGARDES PAS LES YEUX DANS LES YEUX LE VISAGE DE LA PEUR.

DE QUOI JE SUIS FAITE ?

QUEL RAPPORT AVEC LE FAIT DE TABASSER DES GÉANTS ?

JE SAUVERAI TOUS LES PIEDS DE BÉBÉS DU MISÉRABLE GÉANT OU ALORS JE NE M'APPELLE PAS...

CLAUDETTE, LA TUEUSE DE GÉANTS !

TSS, PASCAL ! TU ES SÛR QUE LE GÉANT AIMAIT LES PIEDS DE BÉBÉS ? JE PENSAIS QU'IL...

ELLE EST EXACTEMENT COMME SON PÈRE, LE FORGERON. ET REGARDE OÙ ÇA L'A MENÉ.

PFFF !

CETTE GAMINE A GÂCHÉ UNE TRÈS BONNE HISTOIRE.

HMPF! ELLE SE PREND POUR UNE PRINCESSE JUSTE PARCE QUE C'EST LA FILLE DU MARQUIS.

HÉ, HÉ!

HI, HI!

JE NE ME PRENDS PAS POUR UNE PRINCESSE, J'ASPIRE SIMPLEMENT À EN DEVENIR UNE.

PFFFF!

MARIE A UN PLAN DE CARRIÈRE, ELLE! C'EST QUOI LE VÔTRE?

POUR FIFI ET MOI, DE GAGNER TOUS LES CONCOURS DE CHIEN DE LA VALLÉE!

TSS. TU AURAIS DÛ RÉFLÉCHIR À ÇA AVANT D'ÊTRE MÉCHANTE AVEC MON AMIE.

VAILLANT, VA FAIRE UN GROS CÂLIN À FIFI, MON BEAU.

GGRRRRRK.RRR

11

ALLEZ, VOUS NE VOULEZ PAS MONTRER AUX GENS À QUEL POINT NOUS SOMMES BRAVES ?!

MAIS NOUS NE SOMMES PAS BRAVES.

AH, MARIE, TE VOILÀ !

PFFT, CLAUDETTE !

BONJOUR, PÈRE !

OH, FIFI !

GRR !

ARF !

CHER MARQUIS, POURRIEZ-VOUS, JE VOUS PRIE, M'EXPLIQUER L'INCONSCIENTE DÉCISION DE VOTRE PÈRE DE BÂTIR UNE FORTERESSE HORS DE PRIX FINANCÉE PAR LE CONTRIBUABLE, AUTOUR DE NOTRE VILLE, PLUTÔT QUE DE SUIVRE LA SOLUTION MOINS CHÈRE ET PLUS FIABLE QUI CONSISTAIT À...

TUER LE MALÉFIQUE GÉANT MANGEUR DE PIEDS DE BÉBÉS !

TSS, AFFRONTER DES GÉANTS EST DÉPASSÉ. VOUS POUVEZ EN PARLER AVEC VOTRE PÈRE, LE GRAND TUEUR DE DRAGONS !

14

16

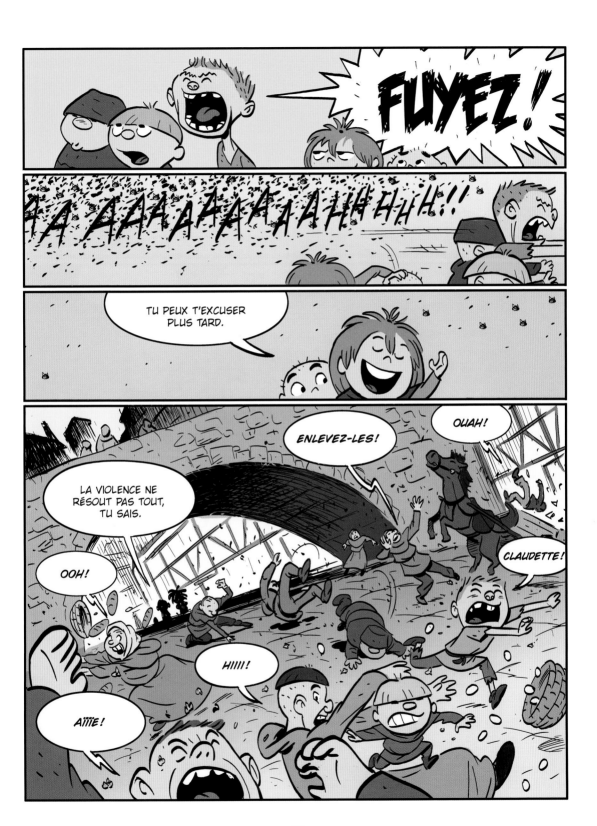

17

LA VIOLENCE N'EST PAS SEULEMENT EFFICACE, ÇA FAIT AUSSI UN BIEN FOU.

TU ES TEEELLEMENT MIGNON, P'TIT FRÈRE !

HÉ, TU SAIS QUE QUAND PASCAL RACONTAIT SON HISTOIRE, J'AVAIS UN PEU PEUR ?

OUAIS, ET ALORS ?

DIS RIEN À PAPA. D'ACCORD ?

ALLEZ, ZUBAIR ! DAME LUCY POURRAIT FRAPPER PLUS FORT QUE ÇA !

PAS DE SOUCIS. TA GRANDE SŒUR EST TOUJOURS LÀ POUR TE COUVRIR.

MERCI !

PAPA, EST-CE QUE TU AS DES ARMES POUR TUER DES GÉANTS DANS TON COFFRE SECRET ?

J'AI BESOIN D'UNE PAIRE DE HACHES DE COMBAT, DE QUELQUES ÉPÉES, DE COUTEAUX, DE FLÈCHES...

...TOUT CE QUE TU PEUX AVOIR EN RÉSERVE.

POURQUOI L'APPELLES-TU MON COFFRE «SECRET»?

BEN, TU NOUS LAISSES JAMAIS VOIR CE QU'IL Y A DEDANS.

ÉLOIGNE-TOI DE MON COFFRE SECRET !

IL EST L'HEURE DE DÎNER.

BON, JE PENSAIS FAIRE DES SHIITAKÉS AU GINGEMBRE EN PÂTISSERIES POUR LE DÎNER. JE CROIS QUE JE TROUVE VRAIMENT MA VOIE EN TANT QUE CHEF ET...

FAIS JUSTE DES SANDWICHES AU JAMBON ET AU FROMAGE, BONHOMME.

MAIS PAPA, TU AS DES SANDWICHES TOUS LES JOURS...

LA VIE DOIT ÊTRE SAVOURÉE, PAS ENGLOUTIE.

ÇA NE TE FERAIT PAS PLAISIR SI JE TUAIS UN VILAIN MONSTRE, PAPA ?

BIEN SÛR QUE SI.

CLICK!

CLACK

CLI'

JE DÉTESTE LES MONSTRES.

BUMP!

JE NE CROIS PAS QU'AZRA AVAIT L'INTENTION DE MUTILER TON PÈRE.

ELLE PROTÉGEAIT SIMPLEMENT SON PETIT.

JE SERAIS ENCORE DEHORS À TUER DES MONSTRES SI AZRA N'AVAIT PAS AVALÉ MA MEILLEURE ÉPÉE...

...EN MÊME TEMPS QUE MA MAIN.

BEUH.

-:SOUPIR:-

CETTE ÉPÉE ME MANQUE PLUS QUE MA MAIN.

C'ÉTAIT LA MEILLEURE ÉPÉE QUE J'AIE JAMAIS FAITE.

JE T'EN FERAI UNE AUTRE, PAPA. UNE FOIS QUE TU M'AURAS APPRIS L'ART DE LA FORGE.

TU NE PEUX PAS FABRIQUER D'ÉPÉES SI TU EN AS PEUR, BONHOMME.

23

GLOUPS.

ALORS, PAPA, TU ME DONNES LA PERMISSION DE TUER UN MÉCHANT GÉANT?

...

TU ES UNE GUERRIÈRE COMME TON PAPA, HEIN, CLAUDETTE?

OUAIP!

LE LENDEMAIN...

LE TEST DU PETIT POIS.

ET MAINTENANT ?

TU LE SENS, MAINTENANT ?

OUI, JE LE SENS !

ÇA MARCHE !

JE LE SENS !

NON, TU LE SENS PAS !

TU NE PEUX PAS SENTIR LE POIS PARCE QUE JE L'AI ENLEVÉ !

MINCE, UNE VRAIE PRINCESSE EST CENSÉE ÊTRE CAPABLE DE DIRE SI ELLE DORT SUR UN PETIT POIS.

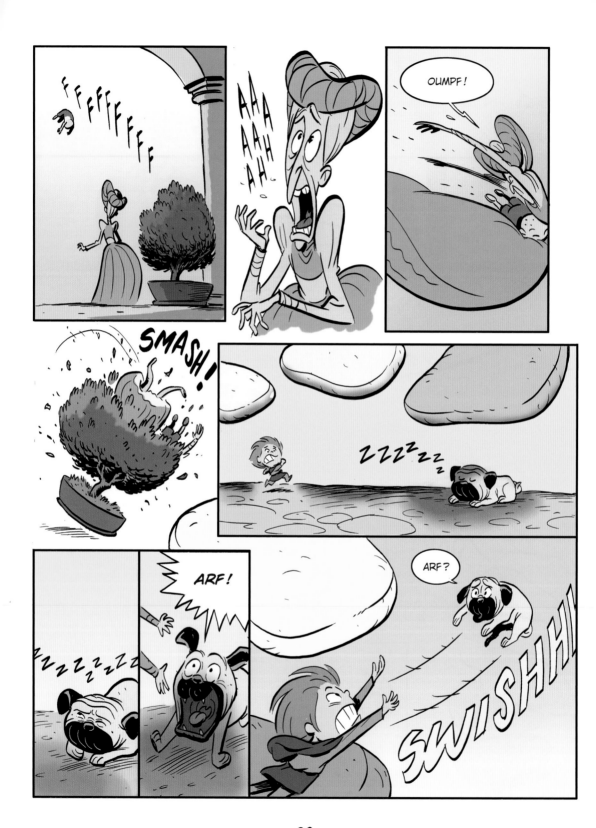

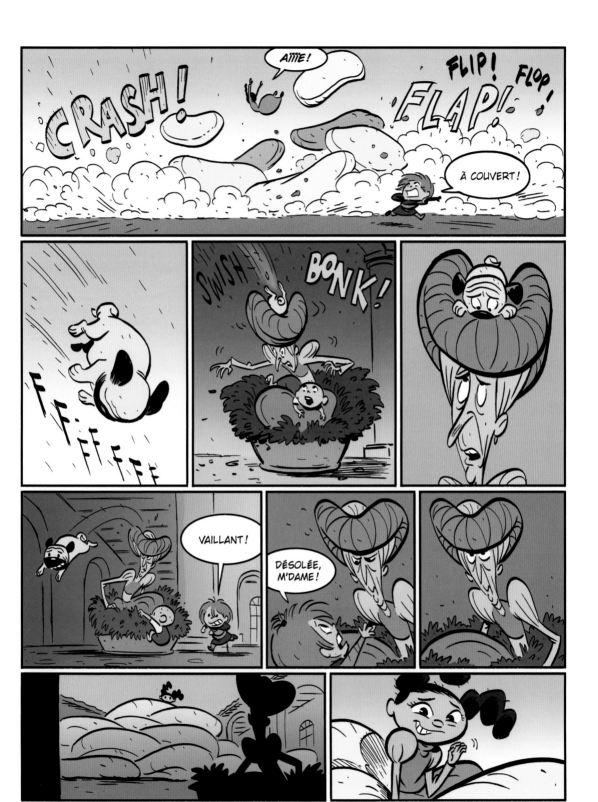

29

HEIN?

SERGIO!

ET DE QUOI NE DOIT-ON PAS AVOIR PEUR, MARQUIS?

VAILLANT!

JE VOUS AI ENTENDU DIRE QUE NOUS N'AVIONS RIEN À CRAINDRE? DE QUOI? DE QUI?

HUM... HEU...

LE GÉANT.

NOUS N'AVONS PAS À CRAINDRE LE GÉANT.

JE N'AI PAS PEUR DU STUPIDE GÉANT!

-:SOUPIR:-

BIEN SÛR QUE NON.

VOUS M'AVEZ FAIT APPELER, MARQUIS?

DOUBLEZ LE NOMBRE D'ÉCLAIREURS EN FORÊT.

OH, VOUS N'AVEZ QU'À ALLER AU PIC DU GÉANT ET ME RAMENER LE GÉANT. VIVANT.

LE GÉANT NOUS ATTAQUE?

NON, FAITES SIMPLEMENT EN SORTE QUE NOS ÉCLAIREURS SOIENT À L'AFFÛT DE TOUTE ACTIVITÉ INHABITUELLE.

LE GÉANT REVIENT NOUS TERRORISER!?

NON, NOUS N'AVONS RIEN À CRAINDRE DU GÉANT.

MAIS, VOUS VENEZ DE DIRE...

NOUS DEVONS ÊTRE VIGILANTS.

PLUS VITE QUE ÇA, SERGIO!

POURQUOI AVOIR DIT À SERGIO QUE NOUS N'AVIONS RIEN À CRAINDRE DU GÉANT?

VOUS AVEZ MENTI.

HEU...

EH BIEN... IL VALAIT MIEUX. JE NE VOULAIS PAS QU'IL DÉCLENCHE UNE PANIQUE.

IL FAUT PARFOIS SAVOIR MENTIR POUR LE BIEN DE TOUS.

HEIN?

HMM...

HÉ...

COMMENT AVEZ-VOUS FINI MARQUIS?

ON A VOTÉ POUR VOUS OU QUOI?

SNIF, SNIF...

QUELLE EST CETTE ODEUR?!!

WHISH

HEU-OH.

REVIENS ICI, VAILLANT !

REVIENS, MON CHIEN !

IL FAUT QU'ON PARLE, MARIE.

ABSOLUMENT! PARLONS DES OURLETS. SERONT-ILS LONGS OU COURTS, CETTE ANNÉE?

MON PROFESSEUR DE COUTURE DIT LONGS, SANS LE MOINDRE DOUTE.

...MAIS DANS MON COEUR, JE PENSE COURTS.

MOI, JE VEUX PARLER DES SUCRERIES. UN HOMME PEUT-IL VIVRE SEULEMENT DE DESSERTS?

JE DIS OUI. OH, OUI.

GRRR...

SPAF!

EST-CE QUE POUR UNE FOIS ON POURRAIT DISCUTER DE CE DONT *MOI!* JE VEUX PARLER, S'IL VOUS PLAÎT?

JE VEUX QU'ON PARLE DES GÉANTS !!!!

POUR DE VRAI?

ALLONS...

EST-CE QUE JE VOUS MENTIRAIS?

HMMMM, ET D'AILLEURS, EST-CE DIFFICILE DE TUER UN GÉANT?

PFFT! C'EST UNE PROMENADE DE SANTÉ.

LE GÉANT SE PROMÈNE?

NON. IL VIT DANS LA MONTAGNE.

ALORS ON VA SE PROMENER EN MONTAGNE?

OUBLIE LA PROMENADE. D'ACCORD?

ALORS, VOUS ÊTES AVEC MOI OU PAS?

ON SERA COMME LES TROIS MOUSQUETAIRES!

SI TON PÈRE A UNE CARTE,
IL LA CACHE PROBABLEMENT.

EST-CE QU'IL A UNE
CACHETTE SECRÈTE
PRÉFÉRÉE?

OUAIS...

BIEN, GASTON, IL FAUT
QUE TU COMMENCES
À CUISINER.

CRUNCH...
CRUN
CRUN
CRUNCH -CRUNCH

C'EST TRÈS BON.
CRUNCH
CRUNCH
CRUNCH
CRUNCH
CR
CRUNCH

BURP!
CRUNCH

EH, PAS MAUVAIS. RETOURNONS TRAVAILLER.
ATTENDS!

J'AI UN PETIT SONDAGE À PROPOS DE MON ROULÉ.

FRRRR SBAM!!

VICTOIRE!

LA CARTE...

«SERIEZ-VOUS SUSCEPTIBLE, PEU SUSCEPTIBLE, MOYENNEMENT SUSCEPTIBLE OU TRÈS SUSCEPTIBLE DE DIRE AUX AMIS DE GASTON À QUEL POINT VOUS AVEZ APPRÉCIÉ SON ROULÉ AU CHOCOLAT?»

POURQUOI VOUDRAIS-TU QU'ON PARLE DESSERT AVEC TES AMIS?

PFFT! ON A DU TRAVAIL QUI NOUS ATTEND!

FAIS DONC PLUS DE CE GÂTEAU POUR LE DÎNER DE CE SOIR!

CE N'EST PAS DU GÂTEAU...

...C'EST DE LA PÂTISSERIE!

QU'EST-CE QUE ÇA PEUT BIEN ÊTRE?

Histoire magique et secrète de MONT PETIT PIERRE

CLAUDETTE!

CRASH!

QU'EST-CE QUE TU FAIS DANS MES AFFAIRES?

J'AI BESOIN D'ÉQUIPEMENT POUR TUER DES MONSTRES, PAPA.

JE VAIS TUER LE GÉANT. GASTON ET MARIE VIENNENT AVEC MOI.

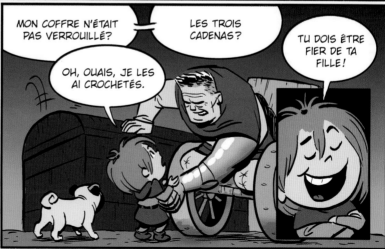
MON COFFRE N'ÉTAIT PAS VERROUILLÉ?

LES TROIS CADENAS?

TU DOIS ÊTRE FIER DE TA FILLE!

OH, OUAIS, JE LES AI CROCHETÉS.

RESTE À L'ÉCART DES CHOSES QUI NE TE CONCERNENT PAS.

PAPA, JE VAIS AVOIR BESOIN D'UNE ÉPÉE SI JE VAIS TUER LE GÉANT.

TU AS DÉJÀ UNE ÉPÉE.

ÇA?

C'EST JUSTE UN JOUET.

EST-CE QUE JE PEUX VRAIMENT TUER UN GÉANT AVEC CE TRUC?

BIEN SÛR, BIEN SÛR, VA TUER TON GÉANT, MAIS SOIS RENTRÉE POUR DÎNER...

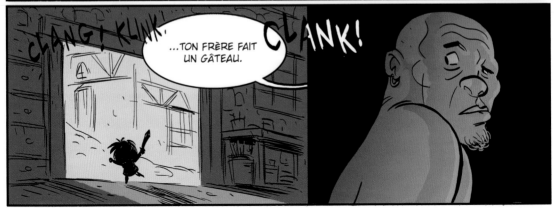

...TON FRÈRE FAIT UN GÂTEAU.

48

CLAUDETTE!

UN INSTANT!

IL FAUT QUE JE TE DISE QUELQUE CHOSE...

LA QUÊTE DE LA GLOIRE ET DE LA FORTUNE EST VAINE. ELLE CONDUIT À LA DÉCEPTION.

TU COMPRENDS?

HEU, BIEN SÛR...

C'EST L'HEURE DE TUER LE GÉANT!

CLAUDETTE! REVIENS!

OUAIS?

49

PLUS TARD...

JE VAIS VOUS RAMENER UNE MEILLEURE FIN POUR VOTRE ENNUYEUSE HISTOIRE DE GÉANT, PASCAL !

TUEUSE DE GÉANT !

PFFF !

GRRR...

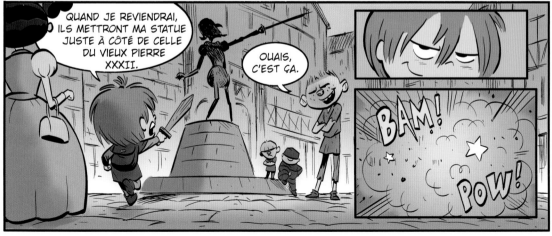

QUAND JE REVIENDRAI, ILS METTRONT MA STATUE JUSTE À CÔTÉ DE CELLE DU VIEUX PIERRE XXXII.

OUAIS, C'EST ÇA.

BAM !

POW !

AU S'COURS.

BANG!
BANG!
BANG!

GRRR!

KAÏ!

ZZZZZIP !!

QUE PUIS-JE FAIRE POUR VOUS, OH, PETITES CRÉATURES?

OUVREZ! NOUS ALLONS PARTIR TUER UN GÉANT!

PERSONNE N'A LE DROIT DE SORTIR.

C'EST DANGEREUX, DEHORS.

TRÈS DANGEREUX!

BONNE CHASSE, LES ENFANTS!

UNE FOIS QUE NOUS AURONS TUÉ LE GÉANT ET QUE JE SERAI DEVENUE UNE PRINCESSE...

...MON PREMIER ACTE OFFICIEL SERA DE PEINDRE LES MURS DE LA FORTERESSE...

...JE PENSE À DU BLEU AVEC UN LISERÉ OR.

ÇA TE PLAIRAIT, DIS?

ÇA FERA FUIR LES MONSTRES.

PAPA VA M'APPRENDRE À FAIRE LES ÉPÉES LES PLUS MERVEILLEUSES DU MONDE!

ET PENDANT QUE MES CLIENTS PATIENTERONT, ILS POURRONT SE DÉLECTER D'UNE DE MES TARTES AU CHOCOLAT OFFERTE GRACIEUSEMENT.

"LE MAGASIN D'ÉPÉES ET DE DOUCEURS DE GASTON".

T'AS RAISON, FRÉROT! FAUT VOIR GRAND, GASTON!

ON ÉCRIRA DES CHANSONS SUR MA BRAVOURE. "LA BALLADE DE LA GESTE DE CLAUDETTE !" JE TROUVE QUE ÇA SONNE BIEN.

ET NOUS ?

OH, VOUS SEREZ MENTIONNÉS DANS LE TROISIÈME OU LE QUATRIÈME COUPLET.

LE TROISIÈME OU LE QUATRIÈME COUPLET ?!

GÉNIAL !

ET CE N'EST QUE LE DÉBUT...

GARGOUILLE.

JE VAIS DEVENIR VRAIMENT CÉLÈBRE UNE FOIS QU'ON AURA TUÉ CE GÉANT !

PLUS CÉLÈBRE QUE NOTRE FAMEUX PAPA ?

TON PAPA N'EST PAS FAMEUX, GASTON, IL EST INFÂME !

PLUS TARD, LE MÊME JOUR...

AVEZ-VOUS VU MARIE ?

ELLE EST EN RETARD POUR SA LEÇON DE PIANO.

ELLE EST PARTIE TUER LE GÉANT AVEC CETTE POLISSONNE DE CLAUDETTE.

PFF !

TRÈS DRÔLE !

AVEZ-VOUS VU MARIE ?

CLAUDETTE L'A EMMENÉE TUER LE GÉANT.

ELLES VONT MOURIR, BIEN SÛR.

TSS.

ÇA N'EST PAS DRÔLE.

MARIE ?

ELLE EST PARTIE TUER LE GÉANT.

VOUS VOULEZ BIEN M'AIDER À DESCENDRE, S'IL VOUS PLAÎT ? MA CULOTTE ME GRATTE.

HMPF !

57

58

...POUR ATTEINDRE LE PIC DU GÉANT.
LA FORÊT DE QUOI?!
LA MORT. GÉNIAL, HEIN?
QUI VOUDRAIT VISITER UN ENDROIT APPELÉ « LA FORÊT DE LA MORT » ?
TSS, PAS MOI.
POURQUOI FAUT-IL QUE CE SOIT LA FORÊT DE LA MORT? POURQUOI ÇA NE PEUT JAMAIS ÊTRE LA FORÊT DES ADORABLES PETITS CHIENS?
OOH! NE SERAIT-CE PAS CHARMANT SI C'ÉTAIT LA FORÊT DES PONEYS?
VÉRIFIE LA CARTE, CLAUDETTE! Y A-T-IL UNE FORÊT DES PONEYS?
OU DES PETITS CHIENS? ALLONS À LA FORÊT DES PETITS CHIENS!
IL N'Y A PAS DE FORÊT DES PONEYS OU DES PETITS CHIENS...
C'EST LA FORÊT DE LA MORT, ET C'EST LÀ QUE NOUS ALLONS!

EST-CE QUE C'EST UN DANGER DU GENRE «OOH, ATTENTION À CETTE PIERRE QUI TOMBE!»?

...OU UN DANGER PLUTÔT DU GENRE, «CE MONSTRE EST EN TRAIN DE ME DÉVORER VIVANT!»?

HEU, SALUT, AUGUSTE.

C'EST PLUS COMME LE DERNIER. À PRÉSENT, COMME JE LE DISAIS, MESSIEURS...

J'OUBLIE TOUJOURS... «DERNIER» SIGNIFIE LE PREMIER OU LE DEUXIÈME TRUC?

C'EST «DERNIER» COMME LA DERNIÈRE CHOSE MENTIONNÉE.

COMME DANS...

LES ENFANTS SONT PARTIS AU PIC DU GÉANT!

AUGUSTE, IL EST IMPÉRATIF DE FAIRE AU PLUS VITE. POUR LE BIEN DES ENFANTS.

UMPH!!!!!!

SMACH!

CRASH!

→TOUSSE, TOUSSE!←

→TOUSSE, TOUSSE!←

PAR ICI LA MONNAIE, PAUVRE POIRE!

JE NE VAIS PAS ME FAIRE TUER PARCE QUE DE STUPIDES GAMINS SONT PARTIS EN MISSION SUICIDE!

C'EST VOTRE ENFANT! J'AI APPRIS AU MIEN À AVOIR PEUR DU MONDE! COMME TOUT BON CITOYEN!

HALTE! PAR ORDRE DU MARQUIS, PERSONNE NE DOIT PASSER.

GRRRR...

AU R'VOIR! ESSAYEZ DE REVENIR EN UN SEUL MORCEAU.

OUPS. NE LE PRENEZ PAS MAL, AUGUSTE.

PITIÉ, NE ME TUEZ PAS.

JE SUIS ALLERGIQUE AU DANGER.

JE N'Y VAIS PAS.

UNE MISSION IMPRUDENTE.

FOLIE!

LES GAMINS AURAIENT DÛ Y PENSER.

STUPIDES GAMINS!

NON MERCI.

70

HMM. C'EST UN PEU SOMBRE, ICI.

DRESSONS LE CAMP ET ON LA TRAVERSERA EN PLEIN JOUR.

PFIU!

JE MEURS DE FAIM. QU'EST-CE QU'ON BOUFFE?

JE NE FAIS PAS DE BOUFFE.

DE LA CUISINE, OUI. DE LA BOUFFE, JAMAIS.

TU N'AS PAS EMPORTÉ DE NOURRITURE, N'EST-CE PAS?

ALORS C'EST QUOI TOUT ÇA?

J'AI AMENÉ DES MARMITES ET DES CASSEROLES!

MAIS TU N'AS PAS AMENÉ DE NOURRITURE?!

J'AI AMENÉ LES USTENSILES DE CUISINE! JE DOIS TOUT FAIRE?

DU CALME. JE PEUX TROUVER DE LA NOURRITURE.

REPOSEZ-VOUS.

DEMAIN, ON POURFEND.

AHHH! J'AI BESOIN DE MES HUIT HEURES DE SOMMEIL SINON JE SUIS UNE ÉPAVE.

À TON AVIS, POURQUOI QU'ON L'APPELLE LA FORÊT DE LA MORT?

C'EST EN RAPPORT AVEC DES ARBRES MANGEURS D'HOMMES, JE CROIS.

GLOUPS.

AAAAAAAAAAHHHHHHH!!!

QUUUUOI?

JE SENS UNE ODEUR DE MORT ET C'EST ATROCE.

OH, CE SONT JUSTE LES PIEDS DE CLAUDETTE.

LA PREMIÈRE FOIS C'EST TOUJOURS UN CHOC, HEIN?

CE N'EST PAS MA FAUTE. JE TIENS CES PIEDS QUI PUENT DE MON P'PA.

QUAND IL AVAIT DES PIEDS...

DE TEMPS EN TEMPS.

JE POURRAIS PEUT-ÊTRE PRENDRE UN BAIN...

QUOI? ARRÊTEZ DE ME FIXER COMME ÇA!

D'ACCORD, D'ACCORD, JE PRENDRAI UN BAIN. JE PRENDRAI...

AYYYYYYY!!!!

MINCE!

GRRR!

LIBÈRE MES AMIS OU JE TE TRANSFORME EN PETIT BOIS!

LÂCHE-MOI!

CLAUDETTE!

NON!

ARF?

TRÈS BIEN, ARBRE IDIOT...

...TU L'AURAS VOULU!

SENS-MOI ÇA!

GLOUPS!

MIAM!

HEIN?

ACK!

YEARK! HACK! POUAH!

OUMPF!

WAOUH, LE POUVOIR DES PIEDS QUI PUENT!

C'EST ÇA, L'ARBRE, SOIS HEUREUX QUE J'AIE PRIS UN BAIN LA SEMAINE DERNIÈRE!

ÇA NE SERA PAS AUSSI FACILE QUE TU LE DISAIS, HEIN?

BAH, T'INQUIÈTE PAS. C'ÉTAIT RIEN. JE VAIS RESTER DEBOUT TOUTE LA NUIT, AU CAS OÙ.

VOUS DEUX, ALLEZ DORMIR.

CE CHEMIN CONDUIT AU RAVIN DU BOUCHER...

...ET CE CHEMIN À LA FORÊT DE LAMORT.

NOUS ESSAYONS DE DÉTERMINER QUEL CHEMIN ONT PRIS LES ENFANTS.

IL EST ÉVIDENT QU'AUCUN ENFANT N'OSERAIT PASSER PAR LA FORÊT DE LA MORT.

ILS ONT PRIS PAR CE CHEMIN, LE RAVIN DU BOUCHER.

HMMM...

LES ENFANTS SONT PASSÉS PAR LÀ, À TRAVERS LA FORÊT DE LA MORT.

COMMENT PEUX-TU EN ÊTRE SÛR?

LE CHIEN A LAISSÉ UN INDICE DERRIÈRE LUI.

AH! BIEN DORMI!

ET VOUS, LES GARS?

PAS SUPER.

ALLEZ, DU NERF! RESTEZ AUX AGUETS.

ON NE SAIT JAMAIS CE QUI PEUT...

POUR UNE FORÊT DITE « DE LA MORT », C'EST VRAIMENT JOLI.

JE ME MÉFIE DE «JOLI».

IL LUI FAUDRAIT UN MEILLEUR PUBLICITAIRE, EN FAIT !

QUI A FAIM?
JE SUIS AFFAMÉE.

POMMES!

JE PENSE QU'IL EST TEMPS DE MANGER DE DÉLICIEUSES...

ATTENDEZ! NON...

NOOOOOOO

UMPF!

CRASH!

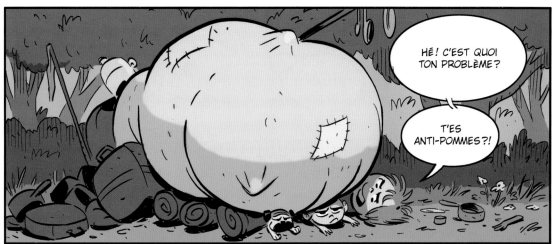

HÉ! C'EST QUOI TON PROBLÈME?

T'ES ANTI-POMMES?!

QU'EST-CE QUE TU AS CONTRE LES POMMES? ELLES SONT RICHES EN...

...VITAMINES A JUSQU'À Z, JE CROIS.

ET ELLES SONT DÉLICIEUSES, BON SANG!

ELLES PEUVENT SEMBLER JOLIES ET DÉLICIEUSES, MAIS UNE BOUCHÉE VOUS TUERA IMMÉDIATEMENT.

TU TIENS ÇA D'OÙ?

BAH! ELLES POUSSENT DANS LA FORÊT DE LA MORT, NON?

ET...?

ANTI-POMMES.

ET SI TU ALLAIS NOUS TROUVER UN PEU DE BOUFFE, HEU, JE VEUX DIRE, DE NOURRITURE.

OOH! JE PEUX PEUT-ÊTRE NOUS TROUVER DES TRUFFES!

BRAVO, GASTON. GARDE UN ŒIL SUR LUI, VAILLANT!

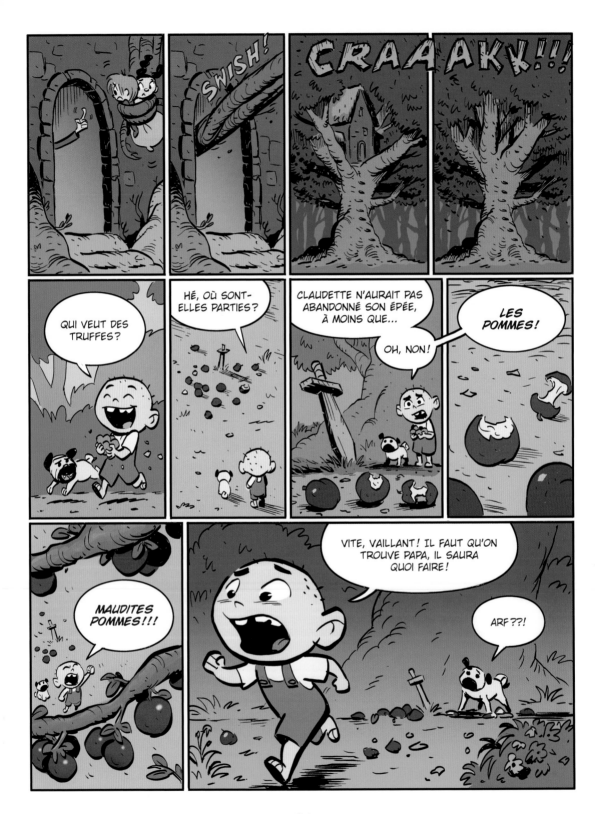

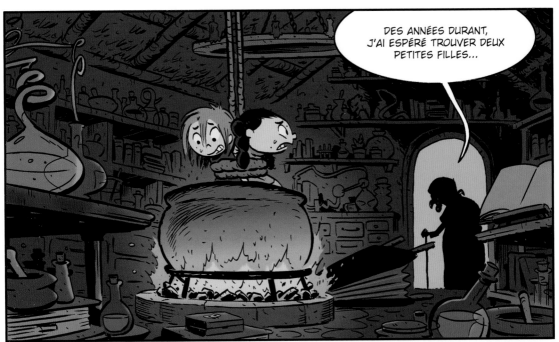

DES ANNÉES DURANT, J'AI ESPÉRÉ TROUVER DEUX PETITES FILLES...

...AFIN DE POUVOIR RÉALISER LA POTION POUR INVERSER LA MALÉDICTION QUI M'A TRANSFORMÉE EN...

SORCIÈRE DES POMMES!

« ...METTEZ DEUX PETITES FILLES À BOUILLIR, MÉLANGEZ AVEC UN ŒIL DE TRITON SANS SUCRE, DE LA LAINE DE CHAUVE-SOURIS, LA LANGUE D'UN CHIEN ET DU BASILIC. »

IL EST VRAIMENT INDISPENSABLE DE NOUS FAIRE BOUILLIR?

OUI, MA DOUCE, JE VAIS VOUS FAIRE BOUILLIR, VOUS FAIRE FONDRE...

...PUIS JE VAIS VOUS MANGER!

GLOUPS.

AUPARAVANT, J'ÉTAIS LA DEMOISELLE DE LA FORÊT, LA PLUS JOLIE FEMME DE CE CÔTÉ-CI DE LA MONTAGNE.

MAIS J'AI CONTRARIÉ LE MAGICIEN LE PLUS PUISSANT DE MONT PETIT PIERRE...

...ET IL M'A JETÉ UN SORT.

ELLE EST FOLLE. IL N'Y A AUCUN MAGICIEN À MONT PETIT !

CE MIROIR EST LE SEUL SOUVENIR DE LA...

...BELLE JEUNE FILLE QUE J'ÉTAIS.

PEUT-ÊTRE QU'À L'INTÉRIEUR...

QU'AS-TU DIT, PETITE FILLE ?

ARF!

KAÏ...

JE VAIS AVOIR BESOIN DE TA LANGUE POUR MA POTION.

VAILLANT, OÙ EST GASTON?

CHUT!

REGARDE...

CLAC-CLAC-CLAC-CLAC!

PETIT FRÈRE!

UNE PINCÉE DE BASILIC...

...APPELLE UNE LANGUE DE CHIEN.

HMM, JE VAIS AVOIR BESOIN D'UN COUTEAU MIEUX AIGUISÉ.

QUE DOIS-JE FAIRE?

SORS-NOUS DE LÀ!

COMMENT?

BATS-TOI!

COMMENT?

SERS-TOI DE MON ÉPÉE.

COMMENT?

BALANCE-LUI À LA TÊTE OU...

COM-MENT?

STOP!

ON TOURNE EN ROND.

HEIN?

JE SUIS UN PÂTISSIER. PAS UN GUERRIER.

JE SUIS JUSTE UN LÂCHE.

ÊTRE BRAVE SIGNIFIE QUE MÊME SI TU AS PEUR, TU PEUX ENCORE REGARDER LA PEUR DANS LES YEUX ET LUI DIRE...

JE VAIS TE BOTTER TON ADORABLE DERRIÈRE!

DIS-LE, FRANGIN! DIS-LE!!!

MPFF...

JE VAIS TE BOTTER TON ADORABLE DERRIÈRE!

TU VAS QUOI?!!

ARF...

GLOUPS. QUELQU'UN D'HORRIBLE SE DIRIGE VERS NOUS?

OUAIP.

ÊTRE BRAVE SIGNIFIE AUSSI PARFOIS ÊTRE CAPABLE DE DIRE...

FUYEZ!!!

GRRRR!

LÂCHE-MOI, ESPÈCE DE SALE RAT!

ARR...

KAÏ!

WHACK!

VAILLANT!

LAISSE MON CHIEN TRANQUILLE!!!

HÉ, OUCH!

SWISH

VAS-Y, GASTON, MONTRE-LUI!

ZAP!

OH!

ZAP!!!

IIK!

TU VAS MOURIR!

OUAH!

BOUM!

SMASH!

QUELLE MAGIE UTILISES-TU, Ô MONSTRUOSITÉ?

LA MAGIE EST ILLÉGALE! JE SUIS LÂCHE...

...PAS CRIMINEL.

BOUM!

ZAP!

FRAPPE-LA À LA TÊTE, GASTON!

VAILLANT!

WOUF!

BON CHIEN.

GRRR!

BOUM!

ZAP!

OOH!

PFF, PFF, PFF...

SWISH

VIENS ICI, RÉPUGNANTE PETITE BÊTE.

DITES-LUI AU REVOIR...

PITIÉ, NON.

TU AS GAGNÉ, COQUIN. QUELLES SONT TES EXIGENCES ?

ALORS ?

LIBÉREZ MES AMIES ET DONNEZ-NOUS TOUTES LES POMMES QU'ON PEUT PORTER !

ARR !

BIEN JOUÉ, MISÉRABLE LUTIN.

MERCI, MISÉRABLE SORCIÈRE.

OUI !

AROUF !

VOUS AVEZ DIX MINUTES POUR QUITTER MA FORÊT. ENSUITE, TOUS LES COUPS SONT PERMIS.

PLUS TARD...

JE SAVAIS QUE TU AVAIS ÇA EN TOI, GASTON!

TU AS ÉTÉ INCROYABLE!

JE LUI AI MONTRÉ...

PAS VRAI?

OUAIP!

À PRÉSENT, RENDS-MOI MON ÉPÉE.

NE T'EN FAIS PAS, NOUS SORTIRONS D'ICI...

D'UNE FAÇON OU D'UNE AUTRE...

UN JOUR...

...BIENTÔT.

100

BON APPÉTIT, MES AMIS.

SWISH!

SWISH!

CRUNCH! CRUNCH CRUNCH! CRUNCH MM. CRUNCH! SLURP! MMM. SLURP!

OOOH, MOINS VITE!

YUM... CRUNCH! MMM. CRUNCH!

C'EST MEILLEUR SI VOUS MÂCHEZ!

BURP.

EN ROUTE.

HÉ, ATTENDEZ, VOUS ÊTES CENSÉES FAIRE LA VAISSELLE.

GRRR...

BIEN PLUS TARD...

REGARDEZ-MOI ÇA...

LA RIVIÈRE FURIEUSE !

VENEZ !

ELLE NE M'A PAS L'AIR SI FURIEUSE.

HÉ, C'EST QUOI TOUT ÇA ?

MON PÈRE DIT QUE MONT PETIT PIERRE...

...ESSAIE D'ENDIGUER LA RIVIÈRE DEPUIS DES ANNÉES...

INFLAMMABLE

MAIS LES OUVRIERS NE CESSENT DE DISPARAÎTRE.

EXPLOSIFS

EXPLOSIF

JE ME DEMANDE CE QUI LEUR EST ARRIVÉ ?

GLOUPS. J'AI UN PRES-SENTIMENT.

MON FILS EST LE PLUS BEAU GARÇON DE LA RIVIÈRE.

TU L'ÉPOUSERAS ET VOUS SEREZ TRÈS HEUREUX.

JE SUIS SÛRE QUE CE SERAIT UNE BELLE PRISE...

HEU, JE NE VOUDRAIS PAS VEXER UN DE VOS POISSONS.

REGARDE, LE VOILÀ.

MON FILS, FAIS DONC CONNAISSANCE AVEC TA PRINCESSE.

GLOUPS !

IL A UNE TÊTE DE POISSON.

LES HUMAINS SONT SI MÉCHANTS!

MMM... SNIF, SNIF...

MON FILS, REVIENS!

IL EST TEMPS... DE...

FUIR!

GARDES!

AHHHHH!

MON FILS EST UN GARÇON SENSIBLE, COMMENT OSEZ-VOUS LUI FAIRE DE LA PEINE?

COMMENT AS-TU PU FAIRE ÇA À TON FIANCÉ?

VRAIMENT DÉSOLÉE.

JE SUIS TERRIBLEMENT DÉSOLÉE.

CE N'EST PAS SUFFISANT.

110

GRRR... GRRR...GRRRR!

FAITES LA CONNAISSANCE DE BARRY BARRACUDA.

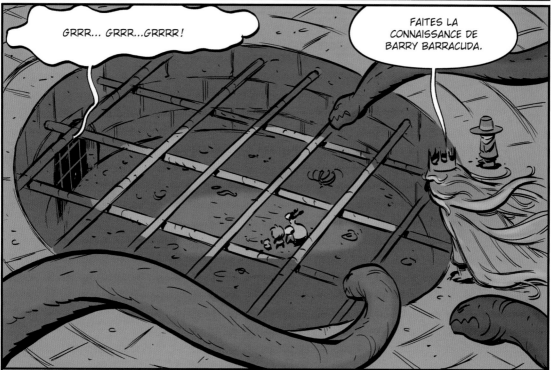

GRROAR!!!!

JE PEUX M'EN CHARGER!

JE CROIS.

GRRRR

CROTTE.

NON!

ARRÊTEZ! ARRÊTEZ!

JE VAIS ÉPOUSER LE PRINCE.

MAIS ELLE M'A INSULTÉ, PÈRE!

ABSOLUMENT PAS. J'AI JUSTE DIT QUE VOUS AVIEZ UNE TÊTE DE POISSON.

CERTAINS DES PLUS BEAUX PRINCES DES RIVIÈRES AU MONDE ONT DES TÊTES DE POISSON.

LIBÉREZ MES AMIS, ET J'ÉPOUSERAI LE PRINCE.

NON, MARIE! JE VAIS EN VENIR À BOUT... À LA LONGUE.

TU ES JEUNE, MAIS INTELLIGENTE.

114

TU DOIS DONNER CETTE LETTRE À MA TANTE HOUVRAIMOIT.

LES AMIS N'ABANDONNENT PAS LEURS AMIS.

AU REVOIR, CLAUDETTE, GASTON, VAILLANT.

NON, ATTENDS !

VOUS POUVEZ DISPOSER.

SNAP!

SWHOOOSHH!!!

BURP!

SPLAT!

GASTON, VA TROUVER DES GROS ROCHERS. JE VAIS M'OCCUPER DES RONDINS!

IL FAUT QU'ON COUPE CES CORDES!

GRR, GRR!

CHAC!

CHAC!

CHAC!

GRRRRR! GRRR

C'EST ÇA, VAILLANT!

CRAAAK!

OUAH!

ACCROCHE-TOI!

118

BRUML BROM

MINCE!

SPLASH!

ON VA AVOIR BESOIN DE PLUS DE RONDINS.

OUMPF!

ON VA T'AIDER, GASTON!

121

SAUTE, CLAUDETTE, SAUTE !

ARF !

CRASH !

REGARDE, GASTON, ÇA MARCHE !

YEAH !

BLOOP BLOOP BLOOP

ARRÊTEZ ÇA IMMÉDIATEMENT !

RENDEZ-NOUS NOTRE AMIE ALORS !

CLAUDETTE, TU VAS BIEN?

ÇA ROULE.

HÉ, OÙ EST LE ROI?

D-D-D-DE L'EAUUU...

WAOUH.

GLOUPS.

MARIE!

TU VAS BIEN?!

OUI... SUPER. MERCI.

A-A-ATTENDEZ...
B-B-BESOIN D'EAUU...

NOUS LAISSEREZ-VOUS TRAVERSER VOTRE RIVIÈRE ?

O-O-OUI. R-RAMENEZ S-SIMPLEMENT L'EAUUU. L'EAUUU !

MARCHÉ CONCLU.

GASTON, LANCE LA DYNAMITE !

ALLEZ, ALLEZ ! STUPIDES ALLUMETTES HUMIDES !

C'EST PARTI, À COUVERT !

128

VOUS POUVEZ TRAVERSER MA RIVIÈRE QUAND VOUS LE VOULEZ, LES ENFANTS.

MERCI, VOTRE MAJESTÉ.

FAITES ATTENTION, LE GÉANT VIT DE CE CÔTÉ-CI. LA RUMEUR DIT QU'IL AIME MANGER...

...LES PIEDS DES ENFANTS. ON A AUSSI ENTENDU PARLER DE ÇA.

MARIE, TU ES UNE JEUNE FILLE RUSÉE...

JE SUIS HONORÉ ET SUIS À TON SERVICE.

MERCI À VOUS, VOTRE MAJESTÉ.

ADIEU, MON PRINCE!

ADIEU, MA PRINCESSE!

SPLASH!

PEUT-ÊTRE N'AURAIS-JE PAS DÛ PROPOSER QUE NOUS MANGIONS DES POMMES?

VOUS CROYEZ?

JE N'AIME MÊME PAS LES POMMES.

SALUTATIONS, AUGUSTE.

BONJOUR, JEUNE FILLE DE LA FORÊT. JE VOIS QUE LA MALÉDICTION T'AFFLIGE TOUJOURS.

DOMMAGE.

J'AURAIS INVERSÉ LE SORT SI LE GARÇON NE M'AVAIT PAS DÉFAITE.

LE GARÇON ? QUEL GARÇON ?

IL M'A VOLÉ SA SŒUR, UNE AMIE ET UN CABOT.

J'Y ÉTAIS PRESQUE.

!

IL FAUT QU'ON CONTINUE.

TRÈS BIEN, AUGUSTE, TU CONNAIS LES RÈGLES. NE PRENDS RIEN ET TU POURRAS TRAVERSER MA FORÊT EN PAIX.

VOUS ÊTES FORT GÉNÉREUSE, JEUNE FILLE DE LA FORÊT.

MAIS ET POUR LES AUTRES HOMMES ?

S'IL TE PLAÎT, AUGUSTE!

PITIÉ?

AHHHH...

GRRR...

BIEN.

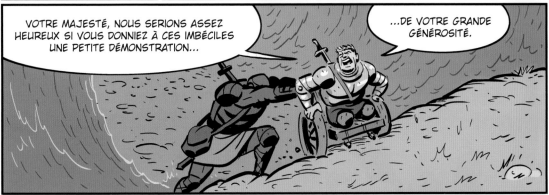

VOTRE MAJESTÉ, NOUS SERIONS ASSEZ HEUREUX SI VOUS DONNIEZ À CES IMBÉCILES UNE PETITE DÉMONSTRATION...

...DE VOTRE GRANDE GÉNÉROSITÉ.

TRÈS BIEN, ALORS.

SPLASH!

JE SUIS IMPATIENT DE RACONTER À PAPA COMMENT J'AI ÉCRASÉ LA SORCIÈRE AUX POMMES.

JE L'AI ÉCRASÉE, N'EST-CE PAS, CLAUDETTE ?

ALLEZ, ACCÉLÉREZ LE RYTHME. ON DIRAIT QU'UN VILAIN ORAGE SE PROFILE.

HÉ, JE ME DISAIS...

...OÙ SONT TOUS LES GÉANTS ? OUAIS, MOI AUSSI.

TU PENSES QUE LE BUREAU DE CERTIFICATION DES PRINCESSES POURRAIT TROUVER UNE PRINCESSE APPROPRIÉE AU ROI DE LA RIVIÈRE ? ILS DOIVENT AVOIR BEAUCOUP DE POSTULANTES.

ON AURAIT PU CROIRE QUE DES GÉANTS SERAIENT FACILES À LOCALISER. ILS SONT GÉANTS, NON ?

TU PENSES QUE JE DEVRAIS CONTACTER LE BUREAU ET LEUR DEMANDER ?

GÉANT MANGEUR DE PIEDS DE BÉBÉS ! MONTRE-TOI QUE JE PUISSE TE TUER !

ALORS, JE DEVRAIS ? DEVRAIS-JE SOLLICITER LE BUREAU DE CERTIFICATION DES PRINCESSES ?

LE QUOI ?

IL VA BIENTÔT FAIRE NUIT.

CLAUDETTE, QUI SIÈGE EXACTEMENT AU BUREAU DE CERTIFICATION DES PRINCESSES ?

TU NOUS AS MENTI !

JE...

J-J'AI MENTI POUR VOTRE BIEN.

L'AVENTURE FORGE LE CARACTÈRE.

VOUS VOULEZ AVOIR DU CARACTÈRE, NON ?

OÙ ÊTES-VOUS CONTRE LE CARACTÈRE ?

SI TEL EST LE CAS, C'EST DOMMAGE.

JE RENTRE À LA MAISON.

OUAIS, MOI AUSSI.

ALLEZ ! C'EST MARRANT, NON ?

NON !

QUELQU'UN DOIT ÊTRE BRAVE. QUELQU'UN DOIT SAUVER TOUS LES PIEDS DE BÉBÉS. QUELQU'UN DOIT...

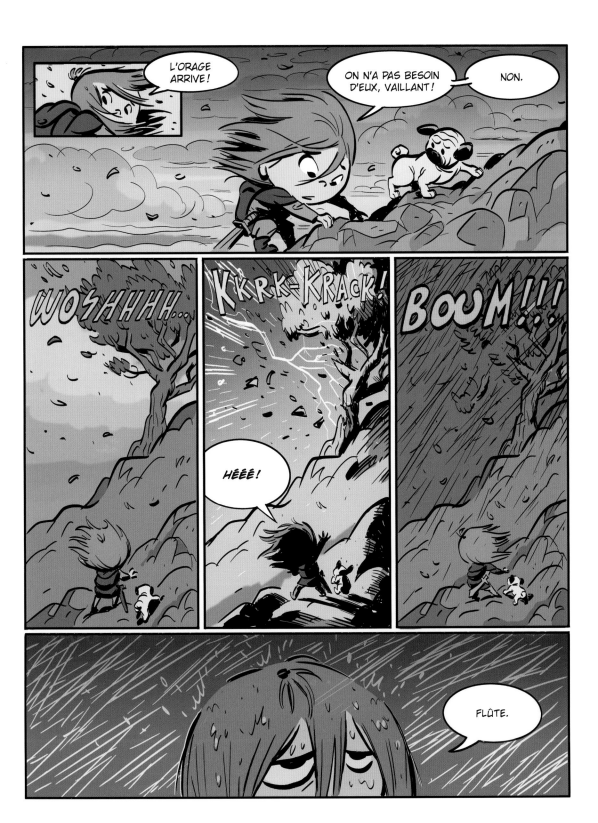

ON DOIT CONTINUER!

UH-UH!

PAS DANS CETTE BOUE.

PLUS VITE, ZUBAIR!

OMPF!

SIX ORTEILS...

UNE MÈRE GÉANTE.

ELLE SERA FÉROCE, AUCUN DOUTE.

ON DEVRAIT S'ARRÊTER POUR LA NUIT.

NON. ON DOIT TROUVER LES ENFANTS.

REGARDE, DE LA FUMÉE. LES ENFANTS ONT DRESSÉ UN CAMP ET ON DEVRAIT FAIRE DE MÊME.

BIEN.

150

QU'Y A-T-IL POUR LE DÎNER?

CROUSTILLANT DE PORC AVEC CHOU-FLEUR RÔTI, SAUCE À LA MANGUE ÉPICÉE ET SALADE DE NOISETTES.

DÉSOLÉ, JE NE POUVAIS RIEN FAIRE DE COMPLIQUÉ.

MERCI, GASTON.

J'ESPÈRE QU'ELLE VA BIEN.

MOI AUSSI.

JE N'AI PAS PEUR.

JE N'AI PAS PEUR.

PAS PEUR.

VRAIMENT PAS PEUR.

ARF.

KRRR-AAIC BOUM!

OH, MINCE.

151

OUF...OUF !

UMPF !

UH !

GRRRR !

REGARDE BIEN, VAILLANT.

IL N'Y A RIEN À CRAINDRE !

RIEN !

152

LE GÉANT!!!

SPLAF!

CLAUDETTE?

SI VOUS NE VENEZ PAS AVEC MOI, ALORS JE NE VEUX PAS Y ALLER. JE NE PEUX PAS LE FAIRE SEULE.

J'AI...

J'AI PEUR.

MANGE, MANGE!

JE SUIS AFFAMÉE!

VOILÀ POUR TOI!

CRUNCH! CRUNCH! BURP! CHOMP! CRUNCH!!!

MIAM, MIAM.

DÉLICIEUX, GASTON.

MIAM.

PSST...

ALLONS TUER CE STUPIDE GÉANT!

ON EST VENUS JUSQU'ICI...

ON NE RENTRE PAS.

ZUBAIR A DIT QUE LA QUÊTE DE LA GLOIRE ET DE LA FORTUNE CONDUIT À LA DÉCEPTION.

JE PENSE QU'IL AVAIT RAISON.

ÇA N'EN VAUT SIMPLEMENT PAS LA PEINE.

MIAM. MIAM.

157

ON NE FAIT PAS ÇA POUR LA GLOIRE ET LA FORTUNE. ON FAIT ÇA PARCE QU'ON DOIT FINIR CE QU'ON A COMMENCÉ.

ES-TU AVEC NOUS, CLAUDETTE?

JE SUIS AVEC VOUS.

WOU-HOU!!

PRENEZ SOIN DE VOUS, LES ENFANTS.

JE VOUS EN SUPPLIE.

VOUS N'AVEZ PAS À FAIRE ÇA. C'EST BON. DITES-LE.

GLOUPS.

ALLEZ!

OUAIS!

ALLONS-Y ALORS!

SNIFF, SNIFF

BOM, BOM!

QU'EST-CE QUE C'ÉTAIT?

BOM!!

BOM!

BUM!

BOM!

TU VEUX DIRE, « QUI » ÉTAIT-CE?

160

TU PENSES QU'IL SAIT QU'ON EST LÀ?!!

BOM! BOM!

OUI.

CROTTE.

BARF, BARF, BEURGL.

BOM!

COUREZ!

WOOSSSH

KLING, KLANG, KLING, KLING

HÉ!

JE VOULAIS DIRE COUREZ EN DIRECTION DU GÉANT. PAS À L'OPPOSÉ.

OH.

OHH!

AIDE-MOI, JE SUIS COINCÉ!

ATTENDS!

ROAR!!!

CRACK!

OUAH...

CRACK!

ALLEZ! ALLEZ!

CRASH!

KAÏ!

CRUSH!

IL GAGNE
SUR NOUS !

ON NE
PEUT PAS LE
DISTANCER !

VITE, CACHEZ-
VOUS DERRIÈRE
CE ROCHER !

166

168

MMM...

MIAM...

GLOUPS!

MU, MU...

MINU AIME MU-MÛRES.

HEIN?

C'EST QUOI ÇA?

OH, C'EST JUSTE UN BÉBÉ GÉANT.

IL NE FAUT PAS LE TUER.

M-M-MAIS...

GRRR!

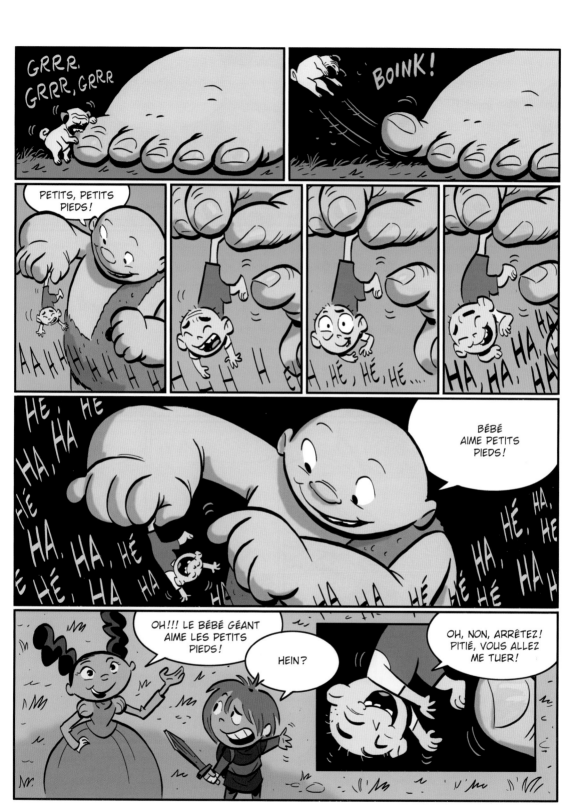

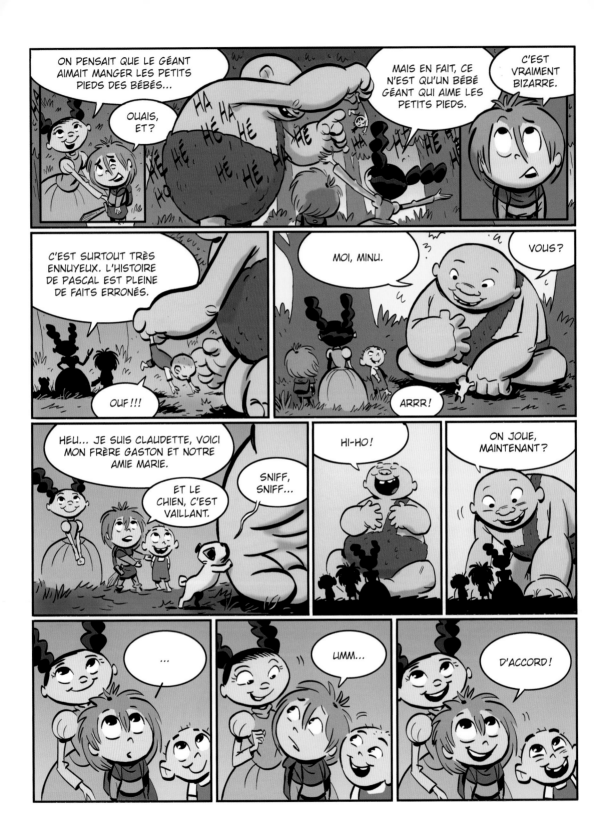

172

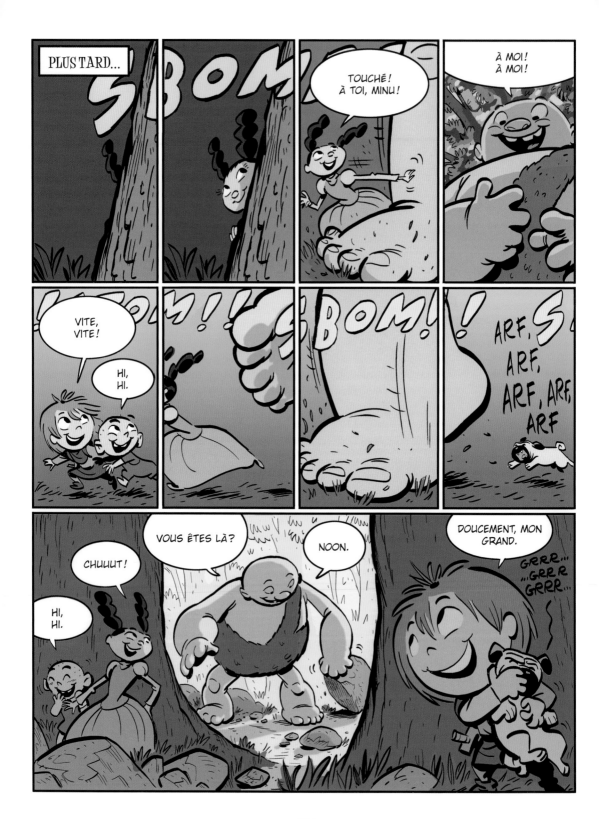

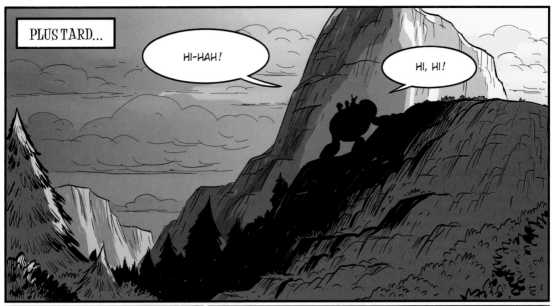

PLUS TARD...

HI-HAH!

HI, HI!

MERCI POUR LA BALADE, MINU!

WAOUH...

QUELLE VUE!

HI, HI.

MAINTENANT, MINU!

OH, NON, ARRÊTE... OH, SEIGNEUR... HAH, HA, STOP, PITIÉ!

IL VA BIENTÔT FAIRE NUIT. ON DEVRAIT DRESSER LE CAMP ICI.

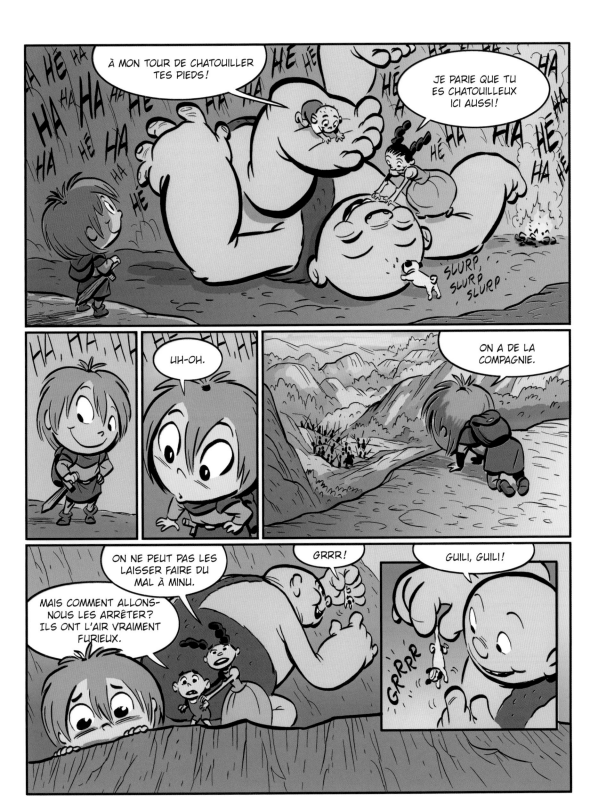

179

TON PÈRE NE S'ARRÊTERA PAS TANT QUE MINU NE SERA PAS PARTI.

IL EST COMME ÇA.

TU AS RAISON. IL FAUT QU'ON TROUVE QUELQUE CHOSE...

IL NE FAUT SURTOUT PAS QUE QUELQUE CHOSE DE MAL ARRIVE À MINU!

ERRR!

HMMM...

J'AI UNE IDÉE!

MAIS ON DOIT FAIRE VITE.

PLUS TARD...

EN AVANT, MESSIEURS! CE N'EST PAS LE MOMENT D'HÉSITER!

ALLEZ, ZUBAIR! PLUS VITE!

UH-OH.

!

UGH!

ROARRRRR

ARGHHH!

OH, MON DIEU!

PRENDS ÇA, ESPÈCE DE MONSTRE!

C'EST CLAUDETTE.

ROARRRRR

PAS BON.

OH, MINCE.

GLOUPS.

MAMMA MIA.

181

182

TACK! TACK!

TACK!

OOWWWWWWW-W-W

TU EN AS EU ASSEZ, GÉANT?!

PLUS DE SOUFFRANCE, OK?

ET... ACTION!

ARKRKR

RRRRRRRR

HAAA!

AU SECOURS!

FAITES PLACE!

REVENEZ ICI, BANDE DE LÂCHES!

ÇA N'EN VAUT PAS LA PEINE!

OUAIS.

QU'EST-CE QUI SE PASSE, LÀ-HAUT?

HMMM...

...DES MÛRES.

MAINTENANT, GASTON!

OK!

CRUNK!

OMPF!

CRASH!

CRACK!

BOOOM!

CRACK!

TU ES FICHU, GÉANT!

OHHHHHHH!

IL FAUT QU'ON AILLE LÀ-HAUT!

ON A BESOIN DE POUSSIÈRES POUR LA BATAILLE, GASTON !

LE FOIN ARRIVE TOUT DE SUITE !

YEAH !

ROARRRRRRRR

QU'EST-CE QUE...

HI, HI...

UH-OH !

PAPA EST QUASIMENT ARRIVÉ !

BIEN, JE VAIS AVOIR BESOIN DE QUELQUE CHOSE À GLACER LE SANG, UN CRI DU GENRE «HA, TU M'AS COUPÉ LA TÊTE». PRÊT, À TROIS, DEUX...

IL EST TEMPS DE REMBALLER !

MES ENFANTS. VOUS ÊTES TRÈS BRAVES...

ET STUPIDES.

HÉ, HÉ.

DES TALENTS DE BRETTEUSE INCROYABLES, JEUNE FILLE.

MERCI!

MAIS JE N'AURAIS PAS PU LE FAIRE SANS LE CERVEAU DE MARIE ET LE COURAGE DE GASTON.

CLAUDETTE, TU SERAS SÉVÈREMENT PUNIE QUAND NOUS SERONS RENTRÉS EN VILLE.

TU AS MIS EN DANGER ET CORROMPU LA PETITE MARIE ET...

NON, PÈRE! TU NE PUNIRAS PAS CLAUDETTE!

QUO-?

191

GASTON, J'IMAGINE QU'À PRÉSENT TU ES ASSEZ VIEUX POUR APPRENDRE UN MÉTIER...

...COMME FABRIQUER DES ÉPÉES.

D'ACCORD!

ALLEZ, RENTRONS À LA MAISON, MA FILLE.

PSST, CLAUDETTE...

CLINK!

HI, HI.

197

TUEURS DE GÉANTS! TUEURS DE GÉANTS! TUEURS DE GÉANTS!

SIR, N'EST-CE PAS MERVEILLEUX?

LE PEUPLE N'A PLUS PEUR DE CE QUI SE TROUVE À L'EXTÉRIEUR. ILS DISENT QU'IL N'Y A RIEN À CRAINDRE.

ILS ONT TORT.

LONGUE VIE AUX TUEURS DE GÉANTS!

WOUF HÉ HA HA HA HÉ HÉ HÉ WOU-HOU!

UN MOIS PLUS TARD.

LA BOOOOOOOOOOMBE !!!!!

SPLASH!

JOLI PLONGEON, CLAUDETTE !

MINU CONTENT !
MINU AIME LES PETITS AMIS.

SLUPR, SLURP, SLURP, SLURP.

HÉ HÉ HÉ HA.. HÉ, HÉ, HE HÉ, HÉ HÉ, HÉ HÉ HÉ..

SPLASH! SPLASH!
HA HA
HÉ . HA
SPLISH! SPLASH!

ROSADO/AGUIRRE 2010

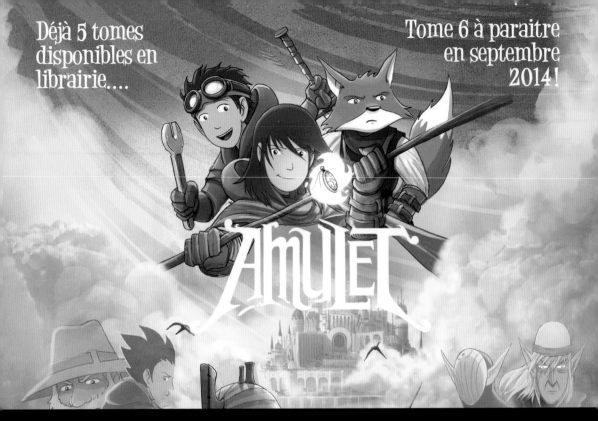